FOLIO CADET

J.M.G. Le Clézio

Voyage au pays des arbres

Illustré par Henri Galeron

GALLIMARD JEUNESSE

Il y avait une fois un petit garçon qui s'ennuyait. Il avait bien envie de voyager, de partir vers le ciel, ou bien dans la mer, ou encore de l'autre côté de l'horizon. Mais pour voyager, il faut avoir les moyens. Ce petit garçon n'avait pas de bateau, ni d'auto, ni de train, ni rien de ce genre. Alors il était obligé de rester sur place et il s'ennuyait un petit peu. Mais un jour, il s'est dit que ce n'était peut-être pas nécessaire d'avoir des ailes ou des nageoires pour voyager.

C'est comme ça qu'il a eu l'idée d'aller au pays des arbres. Enfin l'idée ne lui est pas venue d'un seul coup. Il y avait longtemps qu'il allait se promener dans la forêt et il sentait tout un tas de choses bizarres, comme si les arbres voulaient lui parler, ou comme si les arbres bougeaient ; un jour il allait ici, un autre jour là, et il avait l'impression que les arbres avaient bougé. Bien sûr quand on les regarde, les arbres ont l'air immobile. Ils sont debout dans la terre avec leurs branches écartées et leurs milliers de feuilles qui tremblent et tournent dans le vent.

Ça, c'est une ruse des arbres, pour faire croire qu'ils restent toujours au même endroit, pendant des années et des années. Ils ont l'air paisible et doux, fixés dans la terre noire par les racines solides. Si on les regarde sans trop faire attention,

on peut croire qu'ils ne veulent rien, qu'ils ne savent rien dire. Mais le petit garçon savait que ce n'était pas vraiment vrai. Les arbres ne sont pas immobiles. Ils ont l'air de dormir, comme cela, d'un sommeil épais qui dure des siècles. Ils ont l'air de ne penser à rien. Le petit garçon, lui, savait bien que les arbres ne dormaient pas. Seulement ils sont un peu farouches et timides, et quand ils voient un homme qui s'approche, ils resserrent l'étreinte de leurs racines et ils font le mort. Ils sont un peu comme les coquillages à marée basse qui s'agrippent sur les vieux rochers chaque fois qu'ils entendent le bruit des pas d'un homme qui avance. Il faut apprivoiser les arbres.

Le petit garçon n'était pas pressé de partir, alors il s'est amusé d'abord à apprivoiser les arbres. Pour cela, il marchait doucement à l'intérieur de la forêt, en faisant attention à ne pas faire trop de bruit. Puis il s'asseyait par terre, au centre d'une clairière, et il attendait. Quelquefois il sifflait doucement, parce que les arbres aiment bien la musique qu'on fait en sifflant. Ils n'ont jamais peur des oiseaux ni des cigales, ils aiment bien le bruit des sifflements doux. Quand il avait sifflé comme cela un bon moment, le petit garçon voyait les arbres desserrer progressivement leur étreinte. Les branches s'ouvraient un peu plus, comme de grands parapluies, et les racines devenaient plus souples ; elles sortaient même de terre, très lentement, et c'était drôle parce que les racines sont toutes blanches, le soleil et la lumière ne les ont pas noircies comme pour les branches. Quand les racines et les branches se desserraient un peu, on entendait un bruit bizarre, un grand bruit de bâillement qui venait de tous les côtés de la forêt. Les chênes surtout bâillaient très fort, avec de grands soupirs graves. Les peupliers bâillaient moins bruyamment, en faisant de petites respirations aiguës, et les sapins aussi. Au pied des arbres, les fougères s'agitaient un peu, elles ondulaient, mais pas à cause du vent.

Les gens qui ne savent pas apprivoiser les arbres disent que les forêts sont silencieuses. Mais dès que tu siffles, et que tu siffles bien, comme un oiseau, tu commences à entendre le bruit que font les arbres. Il y a d'abord ces bâillements et ces respirations aiguës. Puis tu perçois d'autres bruits. Il y a des coups lourds, comme s'il y avait un cœur qui battait quelque part sous la terre. Puis tout un tas de craquements, des branches qui se redressent avec des explosions, des feuilles qui se mettent à trembler, des troncs qui se dérident. Il y a surtout des bruits de sifflements, parce que les arbres te répondent. Ça c'est le langage des arbres. Si tu ne fais pas attention, tu peux croire que ce sont des oiseaux qui sifflent. Il faut dire que ça y ressemble beaucoup. Mais ce ne sont pas les oiseaux qui sifflent, ce sont les arbres. Le petit garçon avait appris à reconnaître le sifflement des arbres.

Sur les très gros arbres c'est un sifflement sourd, continu, qui vibre dans la

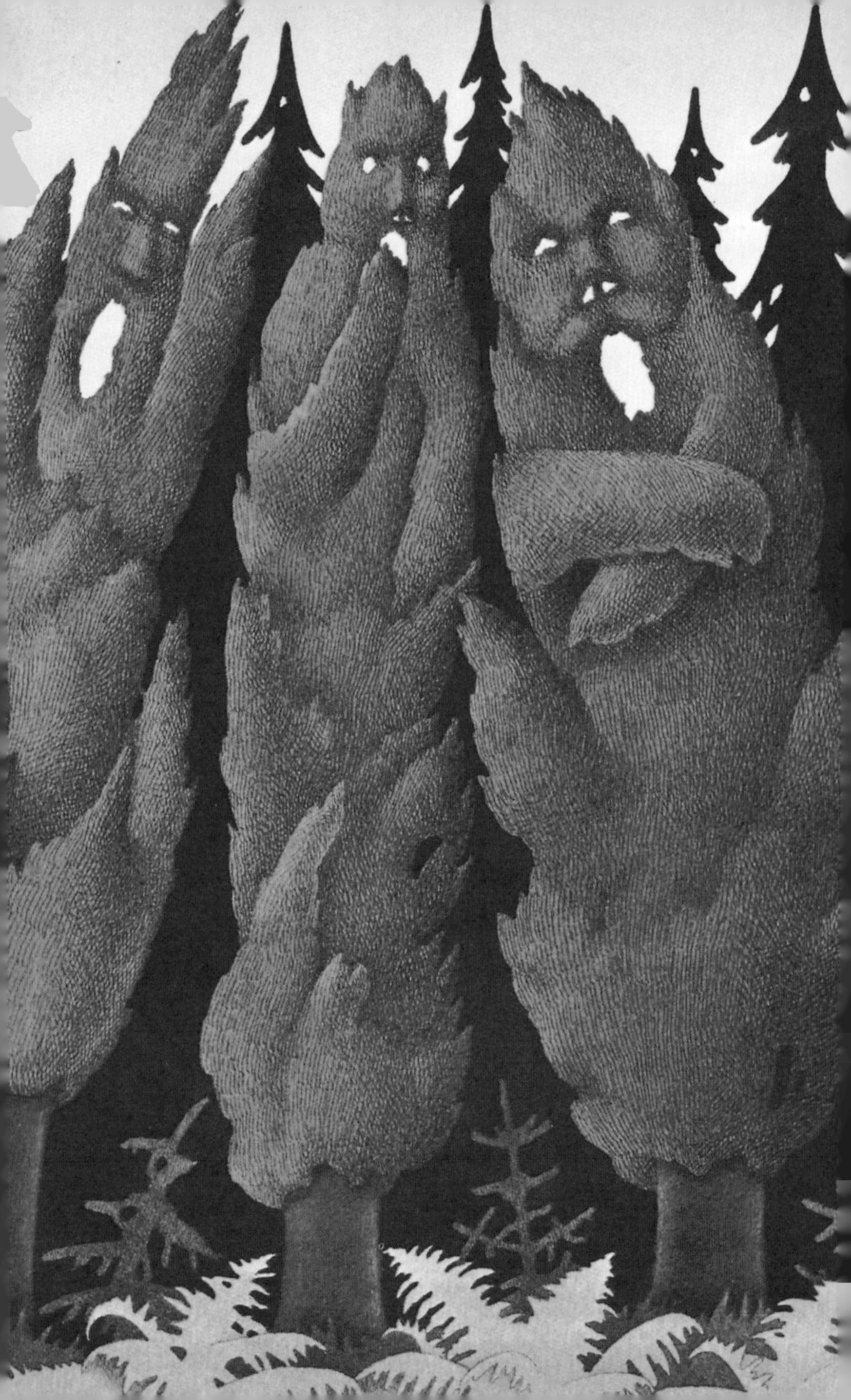

terre, un genre de hululement qui dit toujours la même chose. Les arbres minces, eux, ont une voix flûtée, qui chantonne et sifflote sans arrêt ; ils sont même un peu fatigants, ils ne cessent pas de parler avec leurs petites voix aiguës. Les gens qui ne savent pas le langage des arbres croient qu'ils sont pleins de passereaux et d'ortolans, mais le petit garçon savait très bien que c'était la voix des peupliers, des trembles, des acacias, et de tous les arbres de ce genre qui ont des troncs étroits.

Ça l'amusait bien de siffler comme ça pour apprivoiser les arbres. Petit à petit, tous les arbres se mettent à parler, et quand ils parlent tous ensemble, ça fait un fracas de sifflements et de bâillements très bien à entendre.

Ce qui est bien aussi quand on est dans le pays des arbres, et qu'on les a apprivoisés, c'est de savoir que les arbres pourront vous voir. Il y a des gens qui disent que les arbres sont aveugles, et sourds, et muets. Mais ce n'est pas vrai. Il n'y a rien de plus bavard qu'un arbre, quand il est apprivoisé. Et aussi ils ont des yeux partout, sur toutes les feuilles. Mais ça personne ne le sait. Comme les arbres sont un peu timides, ils gardent généralement leurs yeux fermés quand il y a un homme dans les environs. Le petit garçon lui, qui voulait voyager au pays des arbres, avait appris petit à petit à faire ouvrir les yeux. Il sifflait le plus doucement qu'il pouvait, pas un air de musique, mais comme les arbres, une ou deux notes, très doucement. Alors sur toutes les petites feuilles agitées il voyait des yeux s'ouvrir les uns après les autres, lentement, comme les yeux des escargots. Il y a des yeux de toutes les couleurs, des noirs, des jaunes, des roses, des bleu foncé et des bleu pervenche. Tous ils regardent le petit garçon assis au milieu de la clairière, et ça fait une drôle d'impression, parce qu'ils ont des regards très doux.

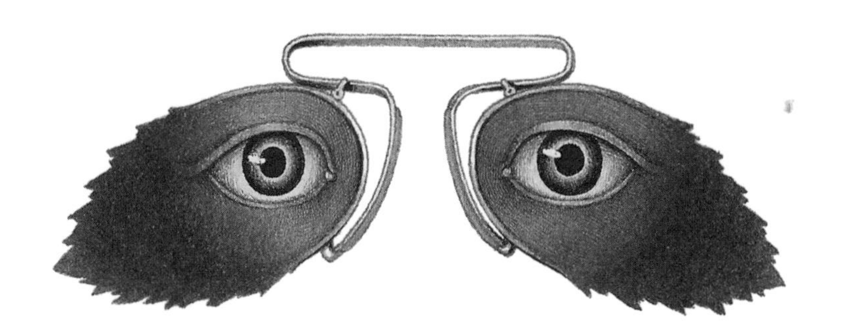

Évidemment, tous les arbres ne sont pas pareils. Il y a le chêne (qui s'appelle Hudhudhudhud) qui est un arbre sérieux. Il a un regard profond qui vous fait un peu frissonner. Il pense tout le temps à des tas de choses sérieuses. C'est lui qui regarde interminablement les étoiles, la nuit. Il connaît le nom de toutes les constellations, et il suit gravement les phases de la lune. Il y a le bouleau, qui porte un nom très compliqué : il s'appelle Phuiii Wooo Woooit Tihuit, qui ne pense qu'à s'amuser. Il aime bien la lumière du soleil, et il s'amuse à envoyer des reflets dans les yeux des autres arbres. Non, il n'est vraiment pas sérieux. Il y a aussi un érable vénérable, qui s'appelle Whoot. Il est très vieux et son tronc est séparé en deux au niveau des racines. Il a reçu plusieurs fois la foudre, et il aime bien raconter aux autres comment ça s'est passé. Il y a beaucoup d'autres arbres dont le petit garçon ne connaît pas bien les noms, des cèdres, des frênes, des chênes-lièges, des lauriers, des sycomores, des peupliers, des saules, des poivriers, des noisetiers. Ils sont tous là, dans la forêt, serrés les uns contre les autres, et ils bavardent sans cesse. Il y a aussi beaucoup de sapins sombres, élancés. Eux ne disent pas grand-chose. Ils sont un peu taciturnes, comme les ifs. Mais ils servent de gardiens à la forêt. Dès que quelqu'un s'approche, ils font trembler leurs aiguilles, et ça fait un bruit de froissement précipité, comme si la pluie allait tomber.

Immédiatement tous les arbres cessent de parler et ils se mettent au garde-à-vous. Ils ferment tous leurs yeux et resserrent leurs branches, et ils font les morts.

Mais comme le petit garçon avait apprivoisé les arbres en sifflant, il pouvait se promener au milieu de la forêt, et tous les yeux verts des arbres le regardaient, et il écoutait leurs bavardages. Les arbres sont comme ça, ils parlent tout le temps. Ils dorment un peu, puis ils se réveillent et ils commencent à jaser. Ils se racontent des histoires d'arbres, des histoires sans queue ni tête qui ne sont pas pour les hommes. Ils parlent de la pluie et du beau temps, des orages, des dernières nouvelles qui viennent de l'autre bout de la forêt. Les bouleaux et les trembles parlent tout le temps, sans s'arrêter, avec leurs petits sifflements aigus qui fatiguent un peu les oreilles. Et ils agitent leurs quantités de feuilles. Les peupliers aussi sont très bavards.

Ceux qui parlent le moins, bien sûr, ce sont les chênes et l'érable vénérable. Ils ont de drôles de voix caverneuses, et ils racontent des histoires vieilles de deux cents ans. Les pins et les ifs sont tristes et les saules pleureurs aussi. Les noisetiers, les noyers, les châtaigniers sont durs, ils ont mauvais caractère. De temps à autre, ils se mettent en colère, et ils font de grands bruits de craquement.

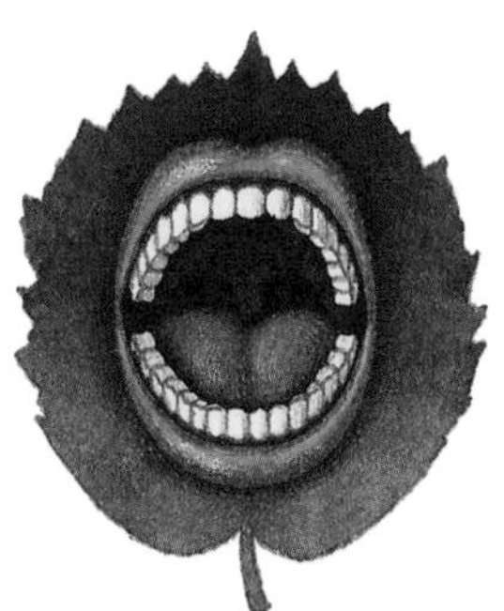

Le petit garçon aime bien parler au vieux chêne. Il dit en sifflant :

– Comment tu t'appelles ?

– Tuoootu, dit le chêne.

– C'est toi le roi de la forêt ? demande le petit garçon.

– Non, non le roi de la forêt habite très loin d'ici, de l'autre côté de la montagne. Mais c'est un chêne comme moi.

– Comment il s'appelle ?

Le vieux chêne réfléchit un instant. Quand il réfléchit, ses branches craquent.

– Nous disons : Wootooyoo, ça veut dire Majesté dans notre langage.

– Il doit être bien vieux, dit le petit garçon.

– S'il est vieux ! Il était déjà vieux quand je suis né, il y a trois mille ans.

Le petit garçon est plein de respect pour le vieux chêne.

– Ça doit être bien de vivre aussi vieux.

– Oui, on apprend beaucoup de choses, dit le chêne.

– Un jour tu seras peut-être le roi de la forêt, dit le petit garçon.

Le vieux chêne se redresse un peu, flatté.

– Qui sait ? Si je ne suis pas foudroyé, peut-être, oui…

– Et les peupliers ? Ils ne peuvent pas être rois ?

Le vieux chêne ricane en sifflant.

– Eux ? Ils ne pensent qu'à bavarder, comme les oiseaux. Ils finiront tous dans des boîtes d'allumettes.

Le petit garçon est un peu triste, parce qu'il aime bien les peupliers. Il prend congé du vieux chêne, et il continue à marcher dans la forêt. Il avance en sifflant doucement, pour que les arbres sachent que c'est lui. Il arrive à une autre clairière où il y a beaucoup d'arbres très jeunes,

des sapins vert clair et des eucalyptus. Aussitôt, tous les arbres le saluent et lui crient en sifflant gaiement :

– Hihuit (c'est comme ça que les arbres l'appellent, ça veut dire petit homme), est-ce que tu viens ce soir à la danse ?

Le petit garçon dit qu'il essaiera de venir. Il sortira en cachette de chez lui, quand tout le monde dormira.

Quand le soir est venu, le petit garçon retourne dans la forêt. Il n'a pas peur du tout, parce que les arbres sont ses amis. Le ciel est bleu-noir et la pleine lune luit très fort quand il arrive dans la clairière, il entend le bruit de la musique. Ce sont les arbres qui sifflent tous ensemble le même refrain. Il n'y a que les arbres très jeunes. Les vieux chênes et l'érable vénérable sont restés à la lisière, pour surveiller. Quelquefois il y a des braconniers qui entrent dans la forêt, et l'érable doit crier comme une chouette pour avertir les autres.

Les jeunes arbres sont en rond autour de la clairière et ils dansent en chantant. Les arbres dansent comme les gens, mais très lentement. Ils glissent sur leurs racines en se balançant et ils crient :

– Tiuutoo tiuu tiuutoo !

Puis ils tournent lentement sur eux-mêmes et ils frappent leurs branches contre celles du voisin, et ils pivotent maintenant dans l'autre sens. Ils font ça

sans se presser, en dansant mollement. C'est très bizarre à voir. Le petit garçon a regardé un bon moment les arbres qui dansaient mollement, et puis il est entré dans la danse. Il tournait lentement sur lui-même, dans un sens puis dans l'autre, avec les bras en croix, et il dansait avec un tout jeune cèdre qui n'était pas plus grand que lui. Chaque fois qu'il avait fait un tour, il cognait avec ses bras étendus les branches du cèdre et il riait. La danse dure longtemps. Les arbres chantent en même temps, en faisant des suites de « tuut-tut-tut-tut-tuuuut » tantôt très aigus, tantôt très graves. Avec le bruit des branches qui cognent régulièrement ça fait une drôle de musique, la musique des arbres qui dansent. Les vieux arbres surtout entrechoquent leurs branches très fort, et ça fait de grandes détonations qui résonnent très loin dans la forêt. Tous sont

contents, ils oublient qu'ils sont de vieux arbres qui doivent rester sur place pendant des siècles ; ils tournent et retournent lentement sur leurs racines et la terre vole en poussière, et chaque fois qu'ils cognent leurs branches, on voit des nuages de poussière et des feuilles mortes qui volent dans l'air. La lune suit son cours sur le ciel et les arbres dansent tant qu'elle est là. Puis la lune disparaît de l'autre côté de la forêt et les arbres cessent de danser. Ils sont bien fatigués. Le petit garçon aussi est bien fatigué, mais il est content. Les arbres retournent chacun à leur place dans la forêt. Ils replient un peu leurs branches, et les chênes crient d'un bout à l'autre de la forêt, en sifflant très fort :

– C'est l'heure de dormir !

Alors, tous, les uns après les autres, ils ferment les yeux qu'il y a sur leurs feuilles

et ils s'endorment. Le petit garçon a bien envie de dormir lui aussi. Il s'étend sur le tapis de mousse, au centre de la clairière, et il ferme les yeux. Il fait tiède et doux parce que les arbres sont tout chauds à force d'avoir dansé. Le petit garçon dort longtemps, jusqu'au petit matin, jusqu'à l'heure de la rosée, et le vieux chêne veille sur lui toute la nuit.

FIN

L'auteur

J.M.G. Le Clézio est né à Nice, en 1940. Enfant, il voulait devenir marin, et c'est au cours d'une traversée entre Bordeaux et le Nigéria qu'il écrit son premier livre. Il fait des études de lettres à Nice et devient docteur ès lettres. Son premier roman, *Le procès-verbal* (1963), obtient le prix Renaudot et, en 1980, il reçoit le grand prix Paul Morand pour son roman *Désert*. Influencée par ses origines familiales mêlées et par ses voyages, son œuvre, récompensée en 2008 par le prix Nobel de littérature, compte une cinquantaine d'ouvrages (romans, nouvelles, essais) publiés essentiellement aux Éditions Gallimard. *Lullaby*, *La grande vie*, *Celui qui n'avait jamais vu la mer*, *Villa Aurore*, *Pawana* ont paru dans la collection Folio Junior.

L'illustrateur

Henri Galeron est né en Provence en 1939. Diplômé de l'École des beaux-arts en 1961, il a beaucoup collaboré aux créations de l'éditeur américain Harlin Quist, ce qui lui a permis de développer un rare talent de graphiste. Il travaille beaucoup pour l'édition, en particulier pour Gallimard Jeunesse. Il est l'auteur de très nombreuses couvertures de livres, d'affiches et d'illustrations pour la presse. Ses créations relèvent de la magie, elles sont pleines de trouvailles, d'associations, de superpositions. Il invente des personnages étonnants, des paysages merveilleux.

Retrouve d'autres belles histoires

Louis Braille

de Margaret Davidson illustré par André Dahan

Louis Braille est devenu aveugle à l'âge de trois ans à la suite d'un accident. Cela ne l'empêche pas de vivre presque comme tous les autres enfants. C'est à l'école que les difficultés vont commencer car il veut apprendre à lire. Le jeune garçon se fait alors une promesse incroyable : il trouvera le moyen de déchiffrer ce que ses yeux ne peuvent voir.

L'homme qui plantait des arbres

de Jean Giono illustré par Olivier Desvaux

En Provence, dans une région aride et sauvage, un berger solitaire plante des arbres, des milliers d'arbres. Alors, au fil des ans, les collines autrefois nues reverdissent et les villages désertés reprennent vie. Voici l'histoire d'Elzéard Bouffier, le silencieux, le méticuleux, l'homme qui réconcilie l'homme et la nature.

Longue vie aux dodos

de Dick King-Smith illustré par David Parkins

Bertie et Béatrice s'aiment d'amour tendre. Ils vivent paisiblement avec leurs frères dodos sur une île de l'océan Indien jusqu'au jour où des pirates débarquent, semant la terreur. Mais les volatiles devront ensuite affronter de plus terribles dangers : un typhon, puis les rats, très friands des œufs de dodo. L'avenir de la colonie se trouve menacé. Heureusement, sir Francis Drake, le perroquet, veille…

Les chats volants

d'Ursula K. Le Guin illustré par S. D. Schindler

Quel étrange mystère : les quatre chatons Thelma, Harriet, Roger et James sont nés avec des ailes ! Mais leur mère a bien d'autres soucis pour s'en préoccuper. En ville, de terribles dangers guettent ses petits. Elle ne pourra pas toujours les protéger. Elle les envoie donc à la campagne : les chats volants vont devoir voler de leurs propres ailes…

Sarah la pas belle

de Patricia MacLachlan illustré par Quentin Blake

Anna et Caleb n'ont plus de maman. Elle est morte à la naissance de Caleb, laissant Jacob, le fermier, seul avec ses deux enfants. Un jour, Jacob met une petite annonce dans le journal et Sarah y répond. Une correspondance s'engage entre eux, jusqu'au jour où Sarah écrit : « J'arriverai par le train. Je porterai un bonnet jaune. Je suis grande et pas belle. »

Le secret de Grand-père

de Michael Morpurgo illustré par Michael Foreman

Mes parents n'ont jamais aimé la vie à la campagne. Alors que moi j'adore les vacances dans la ferme de Grand-père. J'adore l'écouter parler de son enfance de petit paysan et de Joey, son cheval. Mais parfois, je sens que quelque chose le tourmente. Quel est le secret de Grand-père ? Et comment puis-je l'aider ?

La magie de Lila

de Philip Pullman illustré par Peter Bailey

Dans un royaume lointain de l'Orient, Lila rêve de fabriquer des feux d'artifice, comme son père. Celui-ci ne l'entend pas de cette oreille car, pour devenir maître dans l'art de la pyrotechnie, il faut subir de périlleuses épreuves : gravir le volcan Merapi, affronter le démon du feu et rapporter le soufre royal. Passionnée et courageuse, Lila relève le défi, aidée de ses deux amis, Chulak et son éléphant blanc.

La métamorphose d'Helen Keller

de Margaret Davidson illustré par Felicita Sala

Nous sommes en 1880, aux États-Unis. À la suite d'une scarlatine, la petite Helen Keller devient aveugle, sourde et muette. Privée de tout échange avec son entourage, elle s'enferme dans la solitude et la colère. Désespérés, ses parents font appel à Annie Sullivan. La jeune femme, elle-même presque aveugle, va transformer Helen, violente petite rebelle, en brillante étudiante connue du monde entier.

Fantastique Maître Renard

de Roald Dahl illustré par Quentin Blake

Dans la vallée vivent trois riches fermiers, éleveurs de volailles dodues. Le premier est gros et gourmand ; le deuxième est petit et bilieux ; le troisième est maigre et se nourrit de cidre. Tous les trois sont laids et méchants. Dans le bois qui surplombe la vallée vivent Maître Renard, Dame Renard et leurs trois renardeaux, affamés et malins…

Little Lou

de Jean Claverie

Little Lou a la musique dans la peau. Il a la chance d'habiter au-dessus du Bird Nest, le petit bar où joue Slim le pianiste. Lou descend tous les jours prendre sa leçon. À la mort du vieux Slim, Lou hérite de son piano. Le Bird Nest est transformé en boîte de nuit. Un soir, des gangsters font irruption dans le bar. Mais Lou est là…

Mystère

de Marie-Aude Murail illustré par Serge Bloch

Une quatrième fille ! Le roi et la reine ne sont pas contents. Et comble de malheur, quand ses cheveux poussent, ils sont bleus ! Mystère, c'est son nom, vit comme une sauvageonne, mais à l'âge de 8 ans, elle est si belle qu'elle fait de l'ombre à ses sœurs. Ses parents décident de la perdre dans la forêt… Que lui arrive-t-il ensuite ? Mystère…

Comment Wang-Fô fut sauvé

de Marguerite Yourcenar illustré par Georges Lemoine

Voici l'histoire de Wang-Fô, le fameux peintre chinois. Ses tableaux étaient si beaux qu'on les disait magiques. Un jour, l'empereur convoqua le vieux maître qu'il admirait tant pour le menacer d'un terrible châtiment.

Petits contes nègres pour les enfants des Blancs

de Blaise Cendrars illustré par Jacqueline Duhême

Connais-tu les histoires qu'écoutent les enfants d'Afrique ? Sais-tu d'où vient le vent ou ce que chantent les souris ? Veux-tu suivre le petit poussin qui va voir le roi et découvrir les mauvais tours de l'oiseau de la cascade ? Ces contes étonnants, pleins de malice et de sagesse, Blaise Cendrars le poète va te les raconter…

Les Minuscules

de Roald Dahl illustré par Patrick Benson

La maman de Billy lui répète sans cesse de ne jamais franchir le portail du jardin pour s'aventurer dans la Forêt Interdite. Et bien évidemment, c'est exactement ce qu'il va faire ! Là, il découvre le monde des Minuscules, ces petits êtres qui peuplent les arbres, mais aussi le grand danger qui les menacent.

Maquette : David Alazraki et Karine Benoit

ISBN : 978-2-07-510374-9
N° d'édition : 432041
Loi n° 49-956 du 16 juillet 1949
sur les publications destinées à la jeunesse
Premier dépôt légal : mai 1990
Dépôt légal : novembre 2021
Imprimé en Espagne par Novoprint (Barcelone)